Hoofdstuk 1

'*De parkieten komen graag bij u zitten. Maar ze willen niet worden geaaid,*' leest mam voor. Het staat op een bord bij een groot hok in het dierenpark.

Roos woont er sinds kort om de hoek. Dat komt omdat haar ouders een tijdje geleden zijn gescheiden. Haar vader is in het oude huis blijven wonen. Roos is met haar broer Joost en mam verhuisd. Vanaf het moment dat ze in het nieuwe huis trokken, heeft ze gezeurd. Net zolang tot ze hierheen gingen. En nu is het dan zover!

Mam en Roos willen het hok in lopen. Maar Joost houdt hen tegen. Hij vindt het altijd leuk om anderen de stuipen op het lijf te jagen. 'Zouden jullie dat nou wel doen?' vraagt hij op pesterige toon.

'Waarom niet?' vraagt Roos.

'Straks word je nog aangevallen!' Joost wijst naar een tweede bord op de deur van het hok.

De parkieten pikken soms aan uw sieraden. Betreden op eigen risico, staat er.

Geschrokken legt mam een hand op haar ketting. 'Ik blijf toch maar buiten, geloof ik.'

5

Roos werpt Joost een boze blik toe. Ze pakt mam bij de hand en trekt haar mee naar binnen. 'Je hoeft heus niet bang te zijn voor een paar parkieten.'

Angstig kijkt mam rond, terwijl ze haar ketting stevig vasthoudt.

Om hen heen vliegen wel dertig parkieten, in alle kleuren. Rood, blauw, groen, geel en wit.

Een blauw met groen gevlekt exemplaar wandelt over de grond. Hij houdt zijn kopje schuin omhoog naar Roos. Nieuwsgierig kijkt hij haar aan.

Roos gaat op haar knieën zitten. 'Hallo,' zegt ze. Ze steekt haar hand uit. Het diertje wipt erop.

'Wat gezellig,' zegt Roos. Haar stem klinkt hoog en zacht. Een beetje alsof ze tegen een baby praat.

'Kom je zomaar bij me zitten?' Ze lacht naar mam. 'Kijk nou hoe lief.'

'O ja?' plaagt Joost, die nu ook het hok in is gelopen. 'Straks poept er een op je kop. Kijken of je ze dan nog zo lief vindt!'

Mam schrikt zich wild. Snel legt ze haar andere hand op haar hoofd. 'Dat zal me toch niet gebeuren!' roept ze. Ze holt het hok uit.

Joost schatert.

'Wat ben je toch een rotjoch!' bromt Roos. 'Je komt binnen en je jaagt mam meteen weg!'

Precies op dat moment vliegt er iets wits door de lucht. Het landt met een flats op de pet van Joost.

'Getsie!' roept Joost.

Nu is het de beurt aan Roos om te lachen. En niet een beetje. Ze giert het uit.

'Heel grappig,' gromt Joost tegen Roos, die nog steeds giechelt als ze allang weer buiten staan.

Het is flink warm vandaag. Niet alleen Roos, mam en Joost hebben er last van. Sommige dieren ook. De apen blijven in de schaduw. Net als de wolven. En de ijsberen komen het koele water niet uit.

Maar er zijn ook dieren die ervan genieten. De flamingo's waden statig door het water. De bruine beren zitten te zonnen op een steen. Een groepje otters buitelt speels over elkaar heen in het zonnetje.

Ook de leeuwen kunnen hun geluk niet op. Zij krijgen hun voer vandaag verstopt in blokjes ijs. Leeuwenijsjes zijn het eigenlijk, waar ze heerlijk op kluiven. Al snel verdringen de mensen zich voor de hekken om het te zien.

Ook Roos, mam en Joost kijken er een tijdje naar. Dan slenteren ze weer verder.

Ineens blijft Roos staan. 'Kijk!' roept ze. Ze wijst naar een olifant.

Het dier staat naast een waterpoel en zuigt water op met haar slurf. Daarna spuit ze het over haar rug.

Joost trekt een spottend gezicht. 'Ja? Dat is dus een olifant. Nou en?'

'Kijk dan goed,' zegt Roos. 'Ze heeft een kleintje!'

Een klein olifantje komt achter de grote olifant vandaan. Ze laat zich in de waterplas vallen. Daar rolt ze heen en weer en gaat kopje onder. Alleen haar slurfje blijft boven water. Zelfs Joost moet erom lachen, al wil hij het niet laten merken.

Een jongen van een jaar of twintig komt naast hen staan. Hij draagt een overall en kaplaarzen.

'Leuk is ze, hè?' vraagt hij.

'Ja!' zegt Roos blij. Ze kijkt naar de kleren van de jongen. 'Bent u een verzorger?'

'Klopt,' zegt de jongen.

'Hoe oud is ze eigenlijk?' vraagt Roos. Ze knikt naar de kleine olifant, die nu door het zand rolt.

'Dani is net een half jaar,' antwoordt de jongen. 'Haar moeder heet Josha.'

De olifanten hebben de jongen opgemerkt. Niet alleen Josha en Dani, maar nog zeker zes andere verdringen zich aan de rand van het verblijf. Daar is een gracht zonder water. Hij is zo diep dat de olifanten er niet in zullen klimmen om naar de overkant te gaan. Op die manier zijn er geen tralies nodig tussen de bezoekers en de olifanten.

'Ze komen allemaal op je af!' zegt mam verbaasd.

De jongen lacht. 'Als ze me zien, denken ze dat ze wat lekkers krijgen. Maar ze moeten nog heel even geduld hebben.'

'Wat eten olifanten?' vraagt Roos.

Joost fluit afkeurend tussen zijn tanden. 'Domme vraag, zus! Wortels en appels en zo.'

'Het is nooit dom om een vraag te stellen,' zegt

de jongen. 'Maar je hebt gelijk. Wortels en appels vinden ze heerlijk. En andijvie, brood, bloemkool en hooi. Zien jullie die boomstammen in hun verblijf?'

Roos ziet er wel twintig. Ze staan als enorme stokken rechtop in het zand.

'Die hebben we daar vorige week neergezet. Kijk maar, ze zitten vol kale plekken. Dat komt doordat de olifanten de bast eraf trekken. Die lusten ze graag. En morgen hangen we een bal op.'

Roos snapt het niet. 'Een bal?'

'In die bal zitten kleine gaatjes,' legt de jongen uit. 'De olifanten duwen tegen de bal. Of ze peuteren met hun slurf in de gaatjes. En dan vallen er brokjes uit. Een soort snoep voor olifanten.'

Roos kan zich er niet veel bij voorstellen. Ineens krijgt ze een idee. 'Als ik morgen nou weer kom, mag ik dat dan zien?' vraagt ze. 'Ik woon hier vlakbij. Ik kan zo vaak komen als ik wil.'

Mam wil iets zeggen, maar de jongen is haar voor. 'Leuk. Tot morgen dan maar.' Hij schudt Roos de hand. 'Ik heet trouwens Rik.'

'Ik ben Roos,' zegt Roos blij.

De jongen loopt weg. 'Tot morgen, Roos!'

Hoofdstuk 2

'Maar ik spreek net met die verzorger af dat ik kom!' roept Roos.

Mam is streng. 'Ja. Dat sprak je inderdaad zomaar af. Zonder te vragen of het mocht. En het mag niet.'

'Niet zo handig van je, Roos,' zegt Joost pesterig.

'Hou je erbuiten,' roept Roos boos.

Mam, Joost en Roos zijn bijna thuis.

Roos kijkt mam niet-begrijpend aan. 'Maar… waaróm mag het dan niet?'

Mam staat stil voor de deur. Ze zoekt in haar tas naar de huissleutels. 'Ten eerste: ik ga niet wéér een dag door dat dierenpark lopen. Ik heb ook nog andere dingen te doen. En ten tweede, weet je wel wat een toegangskaartje kost?'

'Ja, Roos. Weet je wel wat dat kost?' herhaalt Joost treiterig.

'Hou nou eens op!' roept Roos.

Joost ziet Willem en Roy staan. Ze wonen in het huis naast hen. Ze zijn aan het sleutelen aan een oude roestige brommer.

Roy is ongeveer zo oud als Joost: een jaar of

veertien. Willem is al minstens zestien.

Joost vindt ze heel stoer. 'Ik ben al weg,' zegt hij daarom. Hij slentert naar de jongens toe.

Mam doet de voordeur open en stapt naar binnen.

Roos loopt achter haar aan. 'Ten eerste,' zegt ze, 'ik kan er toch alleen heen? Ik ben tien. Dat kan ik heus wel. En ten tweede…'

'Roos… Je dramt!' onderbreekt mam.

Roos geeft inderdaad niet snel op. 'Als ik het nou zelf betaal? Ik heb nog spaargeld.'

Mam zucht. Ze is een hele tijd stil. 'Je wilt het echt heel graag, hè?' zegt ze ten slotte.

Roos knikt. Ze knijpt stevig in haar handen, zó erg

hoopt ze dat mam ja zegt.

'Zo graag dat je zelfs je spaargeld ervoor wilt gebruiken?' vraagt mam.

Roos knikt weer.

'Goed dan.'

'Yes!' roept Roos.

Mam glimlacht en schudt haar hoofd. 'O o o. Als onze Roos iets wil, moet en zal het ook gebeuren. Stijfkopje dat je bent!'

Die avond ligt Roos in bed. Ze denkt aan Dani en Josha. En aan Rik, die morgen een bal gaat ophangen in het olifantenverblijf. Hoe dat nou zit… Hoe kan zo'n gigantische olifant, met zo'n enorme slurf, nou brokjes uit kleine gaatjes halen?

Roos draait zich om. Ze kan niet wachten tot het ochtend wordt! Dan zal ze het zelf zien. In de verte hoort ze allerlei geluiden uit het park. Apengeluiden… en vogelgeluiden. Vooral van de pauwen. Die lopen daar los rond.

Ineens hoort ze… Was dat…? Roos weet het niet zeker. Was het zacht getrompetter? Of niet? Roos luistert nog een hele tijd. Dan valt ze in slaap.

Hoofdstuk 3

Hop. Roos legt een boterham op haar bord en smeert er jam op. Ze telt nog een keer het geld dat ze uit haar spaarpot heeft gehaald. Het is precies genoeg voor een toegangskaartje.

Joost komt de keuken in. 'Wat gaan we doen met dat geld?' vraagt hij.

'Ik ga naar het park,' vertelt Roos.

Joost grist een paar euro uit haar hand. 'Of niet,' zegt hij.

'Geef hier!' roept Roos. Ze pakt het geld terug.

Joost lacht. 'Veel plezier!' Dan grijpt hij de boterham van haar bord. Snel loopt hij ermee naar de keukendeur.

'Hé!' roept Roos.

Joost zwaait naar haar. 'Ik had honger. Bedankt hoor!'

De deur knalt dicht. Roos ziet Joost door het keukenraam de tuin uit lopen. Hij loopt naar Willem en Roy, terwijl hij de boterham in zijn mond propt.

'Pestkop,' zucht ze.

Als Roos tien minuten later bij het verblijf staat, is er

geen olifant te zien. Even begrijpt ze er niets van. Maar dan ziet ze Rik bij een van de boomstammen staan.

'Hoi!' roept hij.

Hij klimt als een aap in de stam en knoopt er een elastiek aan vast. Aan het elastiek hangt een grote bal. Daarna klimt hij in een boomstam er vlakbij. Daar knoopt hij het andere eind van het elastiek aan vast. Nu bengelt de bal tussen de boomstammen in.

Roos zou wel naar Rik toe willen lopen, maar dat kan niet. De gracht zit ertussen. 'En nu?' roept ze daarom zo hard ze kan.

'Nu komen de olifanten naar buiten. Kijk zelf maar!' roept Rik terug. Hij loopt een gebouw in dat achter het buitenverblijf ligt.

Gespannen wacht Roos af.

Ja! Daar zijn ze. Een voor een komen de olifanten naar buiten. Eerst het grote mannetje. Daarna een paar vrouwtjes. En ten slotte Dani met haar moeder Josha. Nieuwsgierig lopen ze naar de bal. Het mannetje steekt zijn slurf omhoog en duwt ertegen. De bal wiebelt op en neer aan het elastiek. Roos ziet de gaatjes erin zitten. Ineens valt er een piepklein

brokje uit een van de gaatjes. Verrast pakt het
mannetje het met zijn slurf van de grond en hij
stopt het in zijn mond.

'Fijn! Ze snappen het.'

Roos kijkt opzij.

Rik is naast haar komen staan. Hij kijkt blij naar het mannetje. Die steekt nu de punt van zijn slurf in een van de gaatjes.

'Hoe kan dat nou?!' roept Roos. 'Dat gaatje is zó klein. Hoe krijgt hij nou precies het puntje van zijn slurf erin? En hoe kon hij dat mini-mini-brokje van de grond pakken?'

Rik glimlacht. 'O, een slurf is zo handig. Hadden wij er maar een.'

Roos giechelt. Ze stelt zich Rik voor met een slurf op zijn gezicht.

'In een slurf zitten wel tienduizend spieren,' vertelt Rik enthousiast. 'Die is daardoor sterk en tegelijkertijd heel precies. Een olifant kan er zware boomstammen mee pakken, maar ook een héél klein brokje.' Rik houdt zijn duim en wijsvinger vlak bij elkaar om te laten zien hoe klein. Dan ziet hij Roos giechelen. 'Wat is er?' vraagt hij verbaasd.

'Als wij een slurf hadden, zouden we er steeds over struikelen,' grinnikt Roos.

Rik denkt hier serieus over na. 'Dan nemen we een slurfje tot onze knieën,' zegt hij dan.

En daar moeten ze allebei om lachen.

Als Rik uitgelachen is, geeft hij Roos een klapje op haar schouder. 'Dat was leuk,' zegt hij. 'Maar nu moet ik weer aan het werk. Ik ga de olifanten trainen.'

Roos is verbaasd. 'Trainen? Dit is toch een dierentuin? Geen circus?'

'Klopt. Maar ook in een dierentuin worden olifanten getraind.' Rik wil weglopen, maar dan krijgt hij een idee. 'Weet je wat? Het is toch een rustige dag vandaag. Kom maar kijken als je wilt…'

Hoofdstuk 4

Roos en Rik staan in de separeerhokken. Dat zijn een soort stallen met traliehekken ervoor. Achter de tralies staan Josha en Dani.

'We trainen olifanten zodat we ze goed kunnen verzorgen,' vertelt Rik. 'We leren ze bijvoorbeeld hoe ze een poot op een krukje moeten zetten. Op die manier kunnen we er goed bij.'

Roos begrijpt het niet.

'In het wild loopt een olifant wel veertig kilometer per dag,' legt Rik uit. 'Hun zolen slijten daardoor snel. Hier in het park lopen ze veel minder. Dus krijgen ze eelt. Dat schuren we eraf. En we verzorgen hun nagels.'

Roos kijkt geschrokken. 'Doet dat schuren geen pijn?'

Rik schudt zijn hoofd. 'Nee, joh! Daar voelen ze niets van.' Hij pakt twee stokken. Het uiteinde van beide stokken is geel en iets dikker. 'Deze stokken heten targets,' vertelt hij. 'Target is het Engelse woord voor doel. Het doel van de training is dat de olifanten het gele stuk aanraken.' Hij steekt de

stokken tussen de tralies door. 'Josha!' roept hij.

Josha komt meteen naar hem toe.

Rik wijst met de ene stok naar haar schouder.
'Target,' zegt hij.

Josha gaat met haar schouder tegen de stok
staan.

Rik wijst nu met de andere stok naar haar bips.

'Target,' zegt hij weer.

Josha gaat met haar billen tegen de stok staan. Ze staat nu keurig met haar zijkant tegen de tralies.

'Goed zo, meisje.' Rik pakt een wortel uit een kist met groenten en fruit en geeft die aan haar.

'Wauw,' roept Roos. Ze heeft nog nooit zoiets gezien.

Rik klapt nu een luik in het traliehek open. Daar zet hij een krukje neer. Hij wijst met de stok naar Josha's voorpoot. 'Target,' zegt hij opnieuw.

Josha zet haar voorpoot op het krukje.

'Nu mag jij haar belonen,' zegt Rik. 'Pak maar iets lekkers en geef het aan haar.'

Roos straalt. Ze heeft nog nooit een olifant van zo dichtbij gezien. En nu mag ze haar zelfs iets lekkers geven! Snel pakt ze een appel die er sappig en rood uitziet. Ze hoopt dat Josha die lekker vindt. Een beetje aarzelend steekt ze haar hand uit. Ze is bang dat Josha het fruit eruit zal grijpen en haar pijn zal doen.

Maar dat gebeurt niet. Héél voorzichtig pakt Josha de appel van Roos aan met haar slurf. Dan stopt ze hem in haar mond.

Terwijl Rik Josha's nagels borstelt met een flinke borstel, aait Roos het enorme dier over haar slurf, die ze door de tralies steekt. 'Wat ben jij super lief,' fluistert ze.

Als Rik klaar is met de poten van Josha, spuit hij haar schoon met een waterslang. Josha geniet er duidelijk van.

'Ga je Dani nu ook trainen?' vraagt Roos.

Rik lacht. 'Nee, dat begrijpt ze nog niet.' Hij loopt weg. 'Haar zetten we zo in bad. Als je heel even wacht, ik ben zo terug.'

Ik ga nergens heen, denkt Roos. Dit is veel te leuk!

Ze kijkt naar Dani. En naar de stokken die Rik tegen de muur heeft gezet. Toen Rik met Josha oefende, lette Dani goed op. Dat heeft Roos wel gezien. Ze is er bijna zeker van dat Dani veel meer begrijpt dan Rik denkt.

Roos loopt naar de muur. Zal ze de stokken pakken en kijken hoe Dani erop reageert? Ze steekt haar hand uit. Dan aarzelt ze. Ze wil Rik natuurlijk niet boos maken…

Maar Roos is zo nieuwsgierig! Zou Rik echt boos worden als ze het gewoon even probeert? Ze hoopt maar van niet, want voor ze het weet, heeft ze de stokken al in haar hand en loopt ze ermee naar de tralies.

Dani staat achter haar moeder, die druk hooi aan het eten is.

'Dani,' zegt Roos zacht. 'Kom eens hier.'

Josha kijkt op. Dani komt achter haar moeder vandaan.

'Dani. Kom maar dan,' zegt Roos verrast.

Maar Dani komt niet. Wel blijft ze nieuwsgierig naar Roos staan kijken.

Roos steekt een stok tussen de tralies. 'Dani, target,' zegt ze.

Josha loopt naar de tralies. Ze voelt met haar slurf aan de stok.

Roos schrikt er een beetje van. Ze wil de stok al terugtrekken, maar dan komt Dani er ook bij. Josha doet een paar stappen naar achteren. Dani wil meelopen, maar Josha maakt een soort blaasgeluidje naar haar. Ook geeft ze haar een duwtje met haar slurf.

Tot Roos' verbazing blijft Dani staan. Is het soms Josha's bedoeling dat Dani bij Roos blijft? Wil ze soms dat Roos haar traint? Roos voelt zich helemaal warm worden, zo spannend vindt ze het.

Ze wijst met een van de stokken naar de schouder van Dani. 'Dani, target.' Roos houdt haar adem in. Zou Dani het begrijpen?

Dani kijkt naar haar moeder. Die schuifelt heen en weer en laat weer een blaasgeluidje horen. Dan gebeurt het wonder. Josha geeft Dani een zacht duwtje. Daardoor komt Dani met haar schouder tegen de stok te staan.

Roos lacht. 'Goed zo, Dani!' Snel pakt ze een paar appels en geeft er een aan Dani. Dan wijst ze met de stok naar Dani's bips. 'Target,' zegt ze.

Dit keer begrijpt Dani zelf wat de bedoeling is. Ze komt met haar achterste tegen de stok staan en zwaait vrolijk met haar slurfje. Josha maakt een blij blaasgeluidje.

'Jullie zijn geweldig!' roept Roos tegen Dani en Josha. Ze geeft Dani een tweede appel.

'Nee, jíj bent geweldig,' hoort ze Rik ineens zeggen.

Roos kijkt om.

Rik staat in de deuropening te lachen. Hij heeft een plastic badje in zijn handen. 'Je moet met dieren gaan werken, jij!'

Hoofdstuk 5

'En toen ging ze in het badje! En toen mocht ik haar schoon schrobben! En toen, en toen…' Roos struikelt bijna over haar woorden, zó graag wil ze alles tegelijk vertellen. Ze zit met mam en Joost aan tafel te eten.

'En mama-olifant? Vond die dat allemaal zomaar goed?' vraagt mam nieuwsgierig.

'Josha duwde Dani gewoon naar me toe,' vertelt Roos enthousiast. 'Josha is echt ontzettend lief! Rik zegt dat ik goed met dieren kan omgaan. Ik weet nu wat ik later wil worden… Dierenverzorgster!'

Joost kijkt naar haar met een vreemd lachje. Roos verwacht al dat hij iets flauws gaat zeggen, maar dat doet hij niet. In plaats daarvan vraagt hij aan mam of hij van tafel mag.

'Dat mag,' zegt mam.

Meteen staat Joost op en hij loopt naar de trap.

Roos ziet hem alweer naar haar kijken met dat aparte, geheimzinnige lachje. 'Is er soms iets?' vraagt ze.

'Nee hoor. Helemaal niks,' antwoordt Joost. 'Ik ga

gewoon naar mijn kamer. Ik moet even iets regelen.' En weg is hij.

Even iets regelen? Roos krijgt er de kriebels van. De manier waarop Joost het zegt, klinkt helemaal niet prettig. Is hij soms iets akeligs van plan?

Op dat moment pakt mam de hand van Roos. Ze glimlacht. 'Roosje,' zegt ze. 'Ik wil jou iets geven.'

Roos vergeet de rare kriebels meteen. 'Wat dan?' vraagt ze.

'Joost mocht van mij iets uitzoeken voor zijn nieuwe kamer. Hij heeft een cd-speler gekozen. Jij mag ook iets uitzoeken. Of…'

Roos kijkt vragend.

'Ik koop een abonnement voor je. Dat is dan wel niet voor je kamer, maar ik denk toch dat je daar heel blij mee bent.'

Roos begrijpt het niet. 'Een abonnement?'

'Voor de dierentuin,' zegt mam. 'Dan kun je er elke dag naartoe. Een heel jaar lang.'

Roos vliegt mam om de hals.

Mam lacht. 'Toen je vanmorgen inderdaad al je zakgeld hebt gebruikt om erheen te gaan, dacht ik: Roos vindt het daar écht heel leuk.'

'Het is een perfect cadeau voor mij.' Roos straalt.

Het is al laat. Mam geeft Roos een kus en dekt haar stevig toe. 'Slaap lekker,' zegt ze. Dan doet ze het licht uit en trekt de deur achter zich dicht.

Roos hoort mam de trap af lopen. Nu is het donker en stil in de kamer. Boven zich ziet ze sterren glanzen. Geen echte. Stickers. Het zijn er wel honderd. Mam en Roos hebben ze samen op het plafond geplakt toen ze hier kwamen wonen. Zodra het donker is in de kamer, geven ze licht.

Roos ligt er stilletjes naar te kijken. Het is een prachtig gezicht.

Dan hoort ze iets. Geschuifel. Bij de deur!
Geschrokken gluurt Roos naar de deur. Maar daar is
niets te zien. Ze doet haar ogen dicht en probeert in
slaap te vallen.

Ineens is het daar weer, dat
vreemde geluidje! Het komt toch echt
bij de deur vandaan.

Roos wil opstaan, maar dan voelt ze
iets prikkerigs in haar gezicht. Ze gilt.

In het zachte licht van de sterren
ziet ze wat het is. Een spin! Een
gigantische spin! Hij hangt aan een
draad aan het plafond en zakt
langzaam haar dekens in.

Met een grote sprong staat Roos naast haar bed.
'Mam!' schreeuwt ze en ze smijt de deur naar de
gang open. Daar struikelt ze over iets enorms. Met
een harde klap valt ze op de grond. Roos kan wel
huilen. Zeker als ze ziet waarover ze is gevallen: het
is Joost.

Hij ligt op zijn knieën op de grond en schatert het
uit. In zijn hand heeft hij een visdraad. Roos ziet dat
de draad over de drempel van haar deur loopt en

onopvallend met haakjes langs de muur en haar plafond is gespannen. Aan het eind zit iets vastgebonden: de spin!

'Hij is maar van plastic!' giert Joost. Hij trekt de spin aan de draad omhoog.

Mam komt naar boven rennen. 'Wat is hier allemaal aan de hand?' vraagt ze. Ze trekt Roos overeind.

'Joost heeft een spin in mijn bed laten zakken,' moppert Roos.

Mam schrikt. 'Joost!' zegt ze boos.

'Hij is niet echt,' zegt Joost snel. Hij lacht naar Roos. 'Je houdt toch van dieren? Dat zei je zelf. Toevallig zijn spinnen ook dieren, hoor!'

Kwaad slaat Roos de deur van haar kamer dicht. Ze smijt de spin in een hoek en laat zich op haar bed vallen. Waarom heeft ze toch zo'n rotbroer?!

Door de deur heen hoort ze dat mam Joost een standje geeft. Maar Roos weet dat dat niet helpt. Joost is nou eenmaal een pestkop. En dat zal hij wel altijd blijven. Ze wou maar dat hij niet bestond!

Hoofdstuk 6

In de dagen erna vergeet Roos haar boosheid op
Joost. Elke morgen gaat ze naar het park. Daar mag
ze Dani in bad doen. Soms mag ze Rik helpen met
het borstelen van haar nagels. Ze traint haar ook
vaak. Dani kan nu alle vier haar poten op het krukje
zetten.

'Vandaag gaan we iets nieuws oefenen,' zegt Rik
op een dag. 'Ze kan haar poten op het krukje
zetten. Nu wil ik dat ze leert om ze daarna zó neer
te leggen, dat we ook bij de onderkant kunnen.'

'Waarom?' vraagt Roos.

'Dan kunnen we het eelt eraf schuren,' legt Rik
uit. 'Ze is bijna zeven maanden oud. Het wordt tijd
dat dat eens gebeurt.' Hij pakt een targetstok.

Dani wandelt net weg van het traliehek.

'Dani,' zegt Rik.

Dani kijkt wel naar Rik, maar ze komt niet.

'Ze leert snel, maar ze is wel een eigenwijze
meid.' Rik schudt zijn hoofd. 'Kom maar!' zegt hij
nog eens tegen Dani.

Ook Roos roept haar: 'Dani!'

Josha geeft Dani een zetje met haar slurf. Ze duwt haar in de richting van Rik en Roos.

Roos lacht. 'Dankjewel, Josha!' zegt ze.

Eerst laat Rik Dani een voor een haar poten optillen. 'Prima! Goed zo, Dani.'

Roos geeft Dani stukjes brood als beloning.

Dan klapt Rik het luikje in het traliehek open. Hij zet het krukje neer en wijst met de targetstok naar haar achterpoot. 'Target.'

Dani zet haar poot op de kruk. Rik tikt met de stok tegen de achterkant van haar poot. Dani zet haar poot weer op de grond.

Roos lacht. 'Je moet hem niet op de grond zetten. Je moet je poot buigen! Op die manier kunnen we bij de onderkant.'

'Ze snapt het nog niet. Dat was te verwachten,' zegt Rik. 'Kijken of ze het op een andere manier wel begrijpt.' Hij pakt de stok met zijn ene hand. Daarmee tikt hij tegen de achterkant van Dani's poot. 'Target,' zegt hij. Met zijn andere hand pakt hij Dani's poot en buigt hem om, zodat hij de onderkant kan zien. Rik knipoogt naar Roos. 'Goed zo, Dani!' roept hij op uitbundige toon en

hij beloont haar met een stukje meloen. Rik
glimlacht naar Roos. 'Dat was stap een. Nu kijken
of ze het ook zonder hulp kan.' Hij zet haar poot
weer recht. Dan tikt hij er opnieuw met de
targetstok tegenaan. 'Target.'

Maar… Dani zet haar poot weer op de grond.

'Oei. Dat wordt nog heel veel oefenen,' zucht Rik.

Roos heeft een idee. Maar ze weet niet wat Rik
ervan zal vinden als ze het zegt. Ze wil natuurlijk
niet dom overkomen.

Rik ziet haar gezicht. 'Wat?' vraagt hij.

Roos aarzelt. Dan zegt ze het toch: 'Volgens mij moet Josha ons helpen.'

Rik kijkt verbaasd.

'De eerste keer dat ik hier was, ging je Josha trainen,' legt Roos uit. 'Toen zag ik dat Dani steeds keek wat Josha deed. Als Josha het nu ook voordoet, doet Dani het misschien na.'

Rik denkt hierover na. Dan knikt hij. 'Slim bedacht.' Hij geeft Roos een targetstok. Dan gaat hij bij Josha staan. Hij wijst naar haar poot. 'Target.'

Josha maakt een kort blaasgeluidje naar Dani. Dan zet ze haar poot op het krukje. Rik tikt tegen de achterkant van haar poot. Josha buigt haar poot en legt hem zo op het krukje, dat de onderkant te zien is. Roos ziet Dani inderdaad kijken.

Rik ziet het ook. Hij laat Josha nog een paar keer haar poot op de goede manier neerleggen. Steeds als Dani niet oplet, blaast Josha naar haar. Alsof ze wil zeggen: blijf bij de les! Ten slotte geeft Josha Dani een zetje met haar slurf. Ze duwt haar in de richting van Roos.

Roos glimlacht. 'Josha begrijpt wat we aan het doen zijn. En ze helpt ons erbij.'

35

'Daar lijkt het wel op,' zegt Rik verwonderd.

Roos wijst naar Dani's poot met de targetstok. 'Target.'

Dani reageert niet. Dan laat Josha een kort trompettergeluidje horen. Meteen legt Dani haar poot op het krukje, met de onderkant boven. In één keer goed!

Roos kan wel juichen van blijdschap. 'Hoera! Goed zo Dani!' Ze knuffelt de kleine olifant door de tralies heen. Daarna geeft ze Rik een high five.

'Die goeie ouwe Josha!' zegt die.

Hoofdstuk 7

Willem en Roy zijn met hun ouders op bezoek bij Roos, Joost en mam. Ze zitten met zijn allen op het terras in de tuin. Mam schenkt thee en limonade in.

'Wat bijzonder dat je zomaar een kijkje achter de schermen krijgt,' zegt de buurvrouw tegen Roos.

'En dat niet alleen,' zegt mam trots. 'Ze mag ook meehelpen. Ze gaat er elke dag naartoe.'

'Ze praat over niks anders,' zegt Joost pesterig. 'Olifantjes hier, olifantjes daar. Gék word je ervan.'

Mam wil Joost terechtwijzen, maar dan begint de buurman ineens te lachen. 'Je lijkt mij wel, Roos. Ik ben hier opgegroeid, om de hoek. Mij kon je ook al met geen stok wegslaan uit dat park. De apen, de beren, alle dieren kenden me. Maar… ik ging nooit naar binnen via de ingang.'

'Hè? Hoe kwam u dan binnen?' vraagt Roos.

De buurman trekt een beetje een stout gezicht. 'Mijn vriendjes en ik slopen altijd naar het bos achter het park. Daar klommen we over het hek.'

'Ja hoor,' roept Joost. 'Vet!'

'Had je dat gedacht van onze ouwe pa?' zegt Roy.

'O, maar dat ging heel makkelijk, hoor,' lacht de buurman. 'Natuurlijk moest je wel een beetje sportief zijn. Met één flinke sprong stond je in het speeltuintje aan de andere kant van het hek. Vanuit daar liep je zo naar de dieren.'

'Henk!' zegt de buurvrouw. 'Breng die kinderen toch niet op verkeerde ideeën!'

Maar het is al te laat. Roos ziet Willem, Roy en Joost naar elkaar kijken. Er speelt een klein glimlachje om hun mond.

Mam heeft het ook gezien. 'Maar nu kan dat toch allemaal niet meer?' vraagt ze ongerust.

'O nee!' lacht de buurman. 'Vergeet dat maar, jongens. Dat hek is nu beveiligd. En er zijn camera's.'

'Het is ook niet zomaar, dat je moet betalen voor een toegangskaartje,' legt de buurvrouw uit. 'Van dat geld worden de dieren goed verzorgd. Voer, de dierenarts, de verzorgers, alles wordt ervan betaald.'

Roos knikt. Als ze er alleen al aan denkt met hoeveel voer Rik loopt te sjouwen elke dag. Elke olifant eet wel 140 kilo groente en fruit per dag! En ook de leeuwen, de tijgers en de beren eten veel. Heel veel zelfs!

De rest van de middag vertelt de buurman over de wilde avonturen die hij in het park heeft beleefd. En ook al was het niet netjes dat hij toen over het hek klom, het is toch leuk om naar zijn spannende verhalen te luisteren.

'Tja…' zegt hij tot besluit. 'Toen was het park nog klein. Ze hadden maar een paar dieren, in veel te kleine hokken. Nu is het er groot en modern. Ik ben er al een tijdje niet geweest, maar het nieuwe verblijf van de olifanten heb ik wel gezien. Via de webcam.'

'De webcam?' Roos kijkt de buurman verbaasd aan.

'Wist je dat niet?' vraagt de buurvrouw. 'Je kunt de olifanten dag en nacht zien. Op je computerscherm.'

Roos loopt naar de computer en zet hem aan. De buurman en de buurvrouw komen naast haar zitten. Ook mam komt erbij staan kijken.

'Eerst moet je naar de website,' vertelt de buurman. Hij noemt het webadres.

Zodra ze op de website zijn, zien ze een foto van een olifant.

'*Volg de olifanten via de webcam,*' leest mam voor.
'*Klik op de foto.*'

Roos klikt op de foto. Daar is het binnenverblijf te
zien. Het buitenverblijf kun je niet zien en de
separeerhokken ook niet. Bij een van de
boomstammen scharrelt een olifant rond.

'Dat is Mohammed!' roept Roos. 'Het mannetje.
Kijk! Kijk dan hoe leuk.'

'Ik zie het,' lacht mam.

Dan ziet Roos Josha en Dani lopen. Enthousiast
wijst ze ze aan. 'Dat is het kleintje met haar
moeder!' Roos is superblij. 'Nu kan ik Josha en Dani
altijd zien. Ook als ik gewoon hier thuis ben.'

Hoofdstuk 8

Pets! Er knalt iets tegen het raam.

Roos zit met een ruk rechtop in bed. Wat was dat? Een beetje angstig wacht ze af. Het is vast Joost. Probeert hij haar weer bang te maken? Of was het een tak die tegen het raam waaide? Ze kijkt op de klok. Het is vier uur 's nachts.

Pats! Opnieuw knalt er iets tegen het raam.

Verschrikt wipt Roos uit bed en ze schuift het gordijn opzij. Beneden ziet ze iets bewegen.

'Joost!' klinkt het zacht.

Roos haalt opgelucht adem. Het is de stem van Willem. Ze doet het raam open. Willem en Roy staan allebei op het tuinpad.

'Joost slaapt in de kamer hiernaast,' zegt Roos. 'Wat doen jullie hier? Het is midden in de nacht!'

Nu gaat het raam naast haar open. Joost steekt zijn slaperige hoofd naar buiten.

'Hé man,' zegt Roy met gedempte stem. 'We komen je halen. We gaan naar het park.' Hij loopt de tuin uit.

Willem gaat achter hem aan.

Joost is in één klap wakker. 'Wacht op mij!' Snel doet hij het raam dicht.

Roos holt de gang op om Joost tegen te houden, maar die is al op weg naar de trap, hinkelend. Eén schoen vetert hij dicht terwijl hij de andere nog in zijn hand heeft.

'Joost, je gaat niet naar het park!' zegt Roos.

'Ssst!' Joost kijkt haar boos aan, terwijl hij haastig zijn tweede schoen aantrekt. 'Straks maak je mam nog wakker met je geschreeuw.'

'Maar het is gevaarlijk,' fluistert Roos ongerust. 'Dat zei de buurman zelf. Er is beveiliging en zo.'

Joost pakt Roos bij de boord van haar pyjama en kijkt haar dreigend aan. 'Ik ga. En als je mam wakker maakt, krijg je met mij te maken.' Dan sluipt hij de trap af.

Roos weet niet wat ze moet doen. Ze loopt Joost achterna en ziet nog net een glimp van haar broer, die de tuin uit glipt en in de richting van het bos holt.

Roos is bang. Straks overkomt Joost wat ergs! Hij is de grootste pestkop die er is, maar dat gunt ze hem toch niet. Even aarzelt ze.

Dan neemt ze een besluit. Ze gaat achter Joost aan. Snel trekt ze haar schoenen en haar jas aan en ze rent het huis uit.

Het is stil buiten. Roos hoort alleen haar eigen voetstappen. Ze galmen een beetje in de lege straten. De huizen met de tuintjes ervoor zijn donker. Alleen de lantaarnpalen geven wat licht. Ze werpen grote schaduwen op de stoep.

Roos staat stil. Ze is aan de rand van een grote weg aangekomen. Die is verlaten en stil. Aan de overkant doemt het donkere bos op. Het bos naast het dierenpark.

Aarzelend loopt ze naar de overkant en ze tuurt tussen de bomen door. Wat is het donker… Stikdonker! Ze ziet niets of niemand. Joost niet, en Roy en Willem ook niet. Zo stil als ze kan, sluipt ze het bos in. Takjes kraken onder haar voeten. De maan schijnt spookachtig tussen de bladeren door. Af en toe hoort ze geluiden van dieren uit het park. Het hek moet vlakbij zijn, want sommige geluiden klinken alsof ze van héél dichtbij komen. Misschien maar een paar meter bij haar vandaan…

Oehoe! Oehoe!

Dat zijn de uilen.

Ze hoort ook apen schreeuwen en wolven huilen. Dan is het weer stil.

Daar doemt het hek op. Het is hoog en glinstert in het maanlicht.

Roos kijkt om zich heen. Zouden Joost, Roy en

Willem er al overheen geklommen zijn? Dat hebben ze dan wel snel gedaan! Waarom ziet ze toch niemand? 'Joost?' roept ze zachtjes tussen de bomen door. 'Roy? Willem?'

Dan ziet ze iets. Vlak bij haar! Naast een boomstam. Een kop! Een hele grote kop!

Roos begint te trillen. Haar knieën knikken. Er zit een beest naar haar te kijken! En hij gromt zacht.

'W-w-w… H-h-help,' hoort ze achter zich. Het is de stem van Joost. Dus hij is nog niet over het hek!

'Blijf stilstaan,' zegt Roos zacht.

Het beest gromt weer. Harder nu. Hij kijkt nog steeds naar hen.

'D-d-dat is een l-l-leeuw,' fluistert Joost.

'Ik weet het,' fluistert Roos. 'Daarom moet je juist stilstaan. Als je wegrent, valt hij je aan.'

Ze hoort Joost klapperen met zijn tanden, zo bang is hij.

'Luister goed,' fluistert Roos. 'We lopen langzaam achteruit. Niet wegkijken. Wat je ook doet, blijf rustig.' Ze zet een stap achteruit. En nog een. Dan botst ze tegen Joost op.

Hij durft zich niet te bewegen.

45

'Kom maar,' zegt Roos zacht. Ze pakt hem bij de
hand.

Samen zetten ze een stapje achteruit. Het enorme
beest begint weer te grommen. Steeds harder. En
dan… doet Joost precies wat hij niet moet doen. Hij
gilt en zet het op een lopen.

'Joost!' roept Roos nog.

Maar Joost is al weg.

Angstig kijkt Roos naar het beest. Dat is ineens
verdwenen. In plaats daarvan hoort ze gelach.
Willem en Roy komen achter de boom vandaan.
Willem heeft een masker van een leeuw in zijn
hand.

Roos zakt bijna door haar knieën van opluchting. Maar dan wordt ze boos. 'Dat was gemeen!' roept ze. 'Joost en ik schrokken heel erg. Joost is zelfs zo geschrokken dat hij weg is gerend.'

Willem en Roy lachen.

'Je broer houdt anders zelf ook van een potje pesten,' zegt Willem. 'Hij pest jou toch de hele tijd? Wees blij. Nu krijgt hij een koekje van eigen deeg!'

'Hij is wel een beetje laf,' vindt Roy. 'Wie laat zijn kleine zusje nou alleen met een leeuw?'

Roy heeft het nog niet gezegd of… er klinkt gekraak van takken achter Roos. En geschreeuw.

Het is Joost. Hij komt aanrennen met een grote stok boven zijn hoofd. Klaar om een flinke mep uit te delen. 'Kom maar op, leeuw!' schreeuwt hij. 'Van mijn zus blijf je af!'

Willem en Roy gieren het uit.

Verbaasd laat Joost de stok zakken.

'Dat valt me van je mee, man!' giechelt Roy. Hij slaat Joost op zijn schouder.

Joost staart naar het masker in Willems hand.

'Geintje!' lacht die. 'Je bent er goed ingetrapt.'

Hoofdstuk 9

Roos en Joost sluipen de huiskamer in. Alles is nog stil. Mam heeft dus niet gemerkt dat ze weg waren.

Roos wil de trap op lopen, maar dan ziet ze dat Joost aan tafel gaat zitten. 'Ga je niet naar bed?'

Joost schudt zijn hoofd. 'Ik kan toch niet meer slapen.' Hij staart naar de grond. 'Het spijt me.'

Roos kijkt hem vragend aan.

'Dat ik wegrende,' gaat Joost verder. 'Als er écht een leeuw was geweest, was ik wel een beetje laat om je te redden.'

Roos gaat bij Joost zitten. 'Maar je kwam wel terug. Ook al was je bang.'

'Waarom was jij eigenlijk niet bang?' vraagt Joost. Ineens schrikt hij. 'Wist je soms dat Roy en Willem dat geintje gingen uithalen?' Boos staat hij op. 'Je wist het. Dáárom was je daar. Om me uit te lachen!'

'Nee!' zegt Roos. 'Ik wist het echt niet. Ik kwam omdat... Nou ja... Ik was bezorgd. Stel dat je over het hek was geklommen. En jullie waren gesnapt...'

Joost is verbaasd. Zijn boosheid verdwijnt.

'En voor die leeuw was ik écht wel bang,' zegt

Roos. 'Maar ik had wel eens gehoord dat je dat niet moet laten merken. En nooit wegrennen. Dus probeerde ik zo rustig mogelijk te blijven.'

Joost is even stil. Dan gaat hij weer zitten. Hij glimlacht. 'Je bent wel een coole zus. Je wordt vast een goede dierenverzorger.'

Roos straalt. Ze is blij dat Joost dat zegt.

Roos zet de computer aan. Joost heeft gelijk. Zij kan vast ook niet meer slapen. Daarom kijkt ze even hoe het met Josha en Dani gaat. Ze opent de website van het dierenpark. Daar klikt ze op de foto van de olifant. Onmiddellijk is het binnenverblijf te zien. Maar dat is leeg.

Joost kijkt over Roos' schouder mee. 'Zijn de olifanten nog in hun stal?' vraagt hij.

Roos schudt haar hoofd. 'De vrouwtjes slapen niet in een stal 's nachts. Ze mogen gewoon buiten blijven. Of naar het binnenverblijf gaan. Alleen het mannetje slaapt apart. Hij heeft een eigen terreintje.'

Ineens is er beweging te zien. Een aantal vrouwtjes loopt het binnenverblijf in. Josha is er ook bij.

Roos wacht tot Dani er achteraan komt. Die volgt haar moeder altijd. Maar ze ziet haar niet.

Josha kijkt achterom. Ze heeft ook gemerkt dat
Dani niet met haar mee is gelopen. Ze trompettert.

Roos ziet het haar doen. En ze hoort het ook.
Door het raam. Het is zo hard dat ze het helemaal
hier in de huiskamer hoort. Roos schrikt.

'Wat is er?' vraagt Joost.

'Er is iets mis,' zegt Roos ongerust.

Joost staart naar het scherm. 'Hoezo? Hoe weet je
dat? Ik zie gewoon olifanten die rondlopen.'

'Dani is Josha niet gevolgd. En nu trompettert

Josha. Een olifant trompettert alleen als er iets aan de hand is. En deze trompetter klonk wel héél hard,' zegt Roos. Ze hoort Josha opnieuw trompetteren. Ook ziet ze haar teruglopen naar het buitenverblijf.

De andere olifanten lopen met haar mee.

'Zie je wel? Er is iets mis met Dani. Ik weet het zeker!' Roos kijkt op de klok.

Het is kwart voor zeven. Vanaf zeven uur komen de verzorgers aan bij het park. Dat heeft Rik wel eens verteld. Ze drinken dan koffie en spreken de dag door die gaat komen. Daarna gaan ze naar hun eigen diersoort. De verzorgers van de apen gaan naar de apen. De verzorgers van de leeuwen gaan naar de leeuwen. En Rik gaat naar de olifanten.

Zo snel ze kan, rent Roos naar boven. Haastig kleedt ze zich aan. Als ze opschiet, is ze tegelijk met Rik bij de ingang. Dan kan ze hem waarschuwen. Hij moet meteen naar Dani toe!

Op de gang komt ze mam tegen in haar badjas. Die ziet er slaperig uit. 'Wat ga jij doen?' vraagt ze.

'Naar het park!' roept Roos.

'Maar dat is nog lang niet open!' zegt mam.

Roos hoort haar niet meer. Ze is de deur al uit.

Hoofdstuk 10

Het park is inderdaad nog dicht. Roos kan maar één
ding doen en dat is wachten. Onrustig loopt ze
heen en neer. Steeds kijkt ze op haar klokje. De
minuten kruipen voorbij. Drie voor zeven… zeven
uur… vijf over zeven… Af en toe hoort ze een
olifant trompetteren. Waar blijft Rik? En waar blijven

alle andere verzorgers? Tien over zeven…

'Roos?' hoort ze ineens. Rik komt aanfietsen. Hij springt vlak naast haar van zijn fiets. 'Wat doe jij hier nou zo vroeg?'

'Er is iets mis met Dani!' roept Roos. 'Ze kwam niet achter Josha aan!'

Rik zet zijn fiets op slot. Hij begrijpt er niet veel van. 'Nou en? En hoe weet jij dat eigenlijk?'

'Ik zag het op de webcam. En ik zag hoe ongerust Josha was. En de andere olifanten ook! Ze liepen allemaal terug om te kijken waar Dani bleef. En ik hoorde Josha trompetteren, alsof ze in paniek was!'

Rik fronst zijn wenkbrauwen. Hij weet niet goed wat hij met het verhaal van Roos aanmoet. Dan hoort hij het getrompetter ook. Het klinkt inderdaad alsof er een olifant heel onrustig is.

Toch is Rik nog niet overtuigd. 'Loop maar even mee dan,' zegt hij. 'Maar als er niks aan de hand is, ga je meteen weer naar huis. Afgesproken?'

Roos knikt.

Rik maakt het hek open en laat Roos naar binnen. Samen lopen ze naar het olifantenverblijf. De olifantentroep dromt onrustig samen in het midden.

'Ik zie Dani niet,' zegt Rik.

'Daar!' Roos wijst naar het midden van de groep.

Daar staat Dani, op
drie poten. Haar vierde
poot houdt ze in de
lucht. Ze voelt met
haar slurf aan haar
zool. Ook Josha
voelt aan de poot
van Dani.

'Er is iets mis met
haar poot,' zegt Roos.
'We moeten naar haar
toe. Nu meteen.' Ze wil
al naar de deur van de separeerhokken lopen. Vanaf
daar kun je doorlopen naar het buitenverblijf.

Maar Rik schudt zijn hoofd. 'Ik kan jou niet mee
naar Dani nemen. De olifanten lopen daar los. Dat
kan ik niet doen met een kind erbij.'

'Ik ben niet bang,' zegt Roos, maar Rik is
vastbesloten. Hij pakt zijn telefoon. 'Ik bel de
dierenarts.' Hij loopt een eindje bij Roos vandaan.

Na een tijdje komt hij terug. 'De dierenarts komt

eraan. Hij is hier binnen twintig minuten.'

Net op dat moment maakt Dani een soort huilgeluid.

Roos rilt. 'Twíntig minuten!? Zo lang kunnen we niet wachten?! Ze heeft pijn!' zegt ze wanhopig.

Rik zucht. 'Oké. Ik roep de olifanten naar binnen en ik kijk vast even naar Dani's poot.'

Roos knikt. Ze loopt met Rik mee de separeerhokken in. Daar roept Rik de kudde naar binnen. Het duurt even, maar dan komen de dieren één voor één de hokken in. Alleen Josha luistert niet. Ze blijft bij Dani.

'Nu kunnen we toch wel naar Dani toe? Voor Josha hoeven we toch niet bang te zijn?' vraagt Roos.

Rik aarzelt even. 'Jij blijf hier,' zegt hij dan. Hij loopt het buitenverblijf in, langs Josha, en knielt naast Dani. Maar steeds als hij aan haar poot wil voelen, trekt Dani die weg. 'Het zit aan de onderkant van haar poot, dat is wel duidelijk,' roept Rik naar Roos. Hij probeert de poot opnieuw te bekijken, zonder succes.

Roos krijgt een idee. Ze holt de separeerhokken

binnen. Achter de tralies staan de olifanten onrustig heen en weer te schuiven.

'Het komt allemaal goed, hoor!' roept Roos tegen ze. Dan pakt ze een krukje en een targetstok. Daarmee loopt ze terug naar de deuropening. 'Rik!' roept ze. 'Als je het met de targetstok probeert, werkt ze misschien wél mee.'

Rik hoort haar niet, maar Josha wel. Tot Roos' verbazing loopt ze naar Roos toe en maakt een vriendelijk blaasgeluid naar haar.

Roos houdt haar adem in. Ze kijkt omhoog naar Josha, die nu vlak voor haar staat. 'Wat is er, Josha?' vraagt ze. 'Wat wil je?'

Het lijkt of Josha begrijpt wat Roos zegt. Ze loopt terug naar Dani en kijkt steeds achterom naar Roos.

Riks mond valt open. Josha wil duidelijk dat Roos met haar meeloopt.

Roos voelt haar wangen rood worden van de spanning. Stapje voor stapje loopt ze achter Josha aan. Gek genoeg is ze helemaal niet bang. Ze aait Dani's kop. Dan zet ze het krukje neer bij haar pijnlijke poot. Ze tikt er zacht tegen met de targetstok. 'Target,' zegt ze.

Dani maakt weer een huilgeluidje. Josha blaast naar haar en geeft haar een duwtje met haar slurf. Heel even gebeurt er niets. Dan… zet Dani haar poot op het krukje. Met de onderkant naar boven, zodat Rik erbij kan.

Rik glimlacht kort naar Roos en schudt zijn hoofd.

'Je bent me er eentje,' zegt hij. Dan buigt hij zich over de poot. 'Er zit een flinke splinter in. Maar die heb ik er zo uit. Een fluitje van een cent.'

Hoofdstuk 11

Rik heeft een pincet gehaald en probeert de splinter uit Dani's voet te krijgen.

Roos staat naast haar en praat zachtjes tegen haar. 'Het komt echt goed, kleintje. Rik heeft hem er zo uit.'

Ook Josha lijkt Dani gerust te stellen. Ze aait steeds met haar slurf over Dani's rug of slaat haar slurf om Dani's slurfje heen.

'Kijk eens even! Hier hebben we de boosdoener,' zegt Rik ineens. Hij houdt de splinter omhoog.

Dan klinkt er applaus. Verbaasd kijken Roos en Rik naar de overkant van de gracht. Daar staan een heleboel verzorgers in hun handen te klappen en te joelen.

Roos had helemaal niet door dat er mensen naar hen stonden te kijken. Ze ziet ook twee mensen die ze heel goed kent: mam en Joost! Mam heeft een rode blos op haar wangen van de spanning.

Joost zet zijn handen aan zijn mond

en roept: 'Yo, zus! Ik ben trots op je!'

Roos straalt. Ineens voelt ze hoe warm het al is.
De zon brandt op haar hoofd.

Josha en Dani voelen het ook. Dani zet voorzichtig
haar poot op de grond en doet een stapje naar
voren.

Rik slaat zijn arm om Roos' schouders. 'Dat gaat
goed,' zegt hij blij.

Dani zet nóg een stapje. En nog een. Josha loopt met haar mee. Samen lopen ze naar de waterpoel. Daar zuigt Josha water op en spuit het over zich heen. Dani laat zich in de poel glijden. Ze rolt op haar rug heen en weer en gaat kopje onder. Alleen haar slurfje is nog boven water. Roos lacht.

Tevreden lopen Roos en Rik het verblijf uit, naar mam en Joost. Het is een mooie dag, denkt Roos opgelucht. Een hele mooie dag!